Usted Hace la Diferencia

para que su hijo pueda aprender

Por Ayala Manolson M.Sc Patóloga del Habla y Lenguaje
con Barb Ward M.Ed Educadora Especial
y Nancy Dodington BA. Trabajadora Familiar

Ilustraciones por Robin Baird Lewis
Caricaturas por Lee Rapp
Carátula & Título por Ilana Manolson
Traducido por Luz Amalia Fernández

Usted Hace La Diferencia para que su hijo pueda aprender
por Ayala Manolson con Barbara Ward y Nancy Dodington

The
Hanen
Program.®

Una publicación de The Hanen Centre

The Hanen Centre®, el logotipo de Parent-Child y You Make the Difference®
son marcas comerciales de propiedad de Hanen Early Language Program.

© Hanen Early Language Program, 1996.

Library and Archives Canada Cataloging in Publication

ISBN 978-0-92114-510-3

Pueden pedir ejemplares de este libro a la casa editorial:

The Hanen Centre
1075 Bay Street, Suite 515
Toronto, ON
Canada M5S 2B1

Teléfono: (416) 921-1073
Fax: (416) 921-1225
Email: info@hanen.org
Portal en internet: www.hanen.org

Este libro es una adaptación de "Hablando... nos entendemos los dos — Una guía para
padres sobre como ayudar a sus hijos a comunicarse" (Manolson, 1992). Derechos de autor
© 1983 por Hanen Early Language Program. Revisado en 1984, 1985, 1992, 2004.

Ilustraciones: Robin Baird Lewis & Lee Rapp
Portada y contraportada: Ilana Manolson

Impreso en Canadá por Thistle Printing Limited

Nota

La traducción al castellano conlleva el problema de las diferencias en el uso del idioma según el país. Se ha hecho todo lo posible por evitar el uso de palabras o expresiones consideradas demasiado típicas de ciertos países. Para aclarar dudas que aun así puedan surgir, a continuación se proporciona una pequeña lista de palabras que aparecen en esta obra seguidas de una o más palabras con idéntico significado usadas en distintos países:

arepitas, tortillitas

carros, coches, autos

cubos, bloques

de la vuelta, voltee

donuts, donas

macarrones, fideos

llanta, rueda

papa, patata

preparar, alistar

sartenes, trastos, cazuelas

subibaja, balancín

suelo, piso

ventas de garage, ventas en librerías

El por qué de este libro...

Por más de 20 años, El Centro Hanen, ha venido ayudando a padres de niños con retrasos en el desarrollo del lenguaje, para que puedan ayudarlos a aprender a hablar. En vista de los beneficios del enfoque de los programas Hanen, tanto padres como educadores preguntaron insistentemente:

1. El enfoque Hanen, ¿no podría ser útil a todos los padres que quieren que sus hijos aprendan?

2. La información que se encuentra en el libro "Hablando...nos entendemos los dos" (utilizado en los programas de entrenamiento a padres), ¿no podría hacerse más accesible a un mayor número de padres por medio de una versión más simplificada que se basara en ilustraciones, ejemplos y caricaturas?

Con el propósito de contestar a estas preguntas, El Centro Hanen se comprometió a llevar a cabo un programa de tres años llamado "The Caring Connections" o "Lazos Afectivos". Se trataba de un programa de prevención a nivel comunitario que se desarrolló en áreas económicamente marginadas. La guía para padres titulada, "Usted Hace la Diferencia" se gestó durante el transcurso de este proyecto.

Mis *sinceros agradecimientos* a las muchas personas que me han apoyado y motivado a culminar esta obra.

- A Derek Nelson, antiguo presidente del Centro Hanen por creer en nuestros sueños y apoyar la creación de programas comunitarios de prevención e igualmente por encontrar los medios económicos para llevarlos a cabo.

- A los padres, hijos y profesionales que colaboraron en el proyecto piloto llevado a cabo en la urbanización de Tobermory, Falstaff y el Centro Jessie para Adolescentes. Nos enseñaron a hablar sin tecnicismos y nos motivaron a compartir con otros padres lo que necesitan saber para que sus hijos puedan aprender.

- A William Manolson por su apoyo constante y sus sabios consejos.

- Al Doctor Marc Lewis por compartir sus conocimientos sobre los tipos de interacciones entre madres e hijos. Su guía y sensibilidad fueron de mucho valor para la creación del Capítulo 10.

- A Helen Buck, gran amiga, por su insistencia para que escribiéramos con claridad y por su don con las palabras y las rimas.

- A Andy Hurlbut por su apoyo y su habilidad en el diseño gráfico del libro. Su paciencia hizo posible las muchas revisiones que le hicimos al libro.

- A nuestros colegas que generosamente brindaron su tiempo y sabiduría en la revisión final del libro. Ellos, Elaine Weitzman, Claire Watson, Jerry Newton, el Dr. Monte Bail, Frith Manolson, Harold Hanen, la Dra. Maria Erickson, Joanne Grey, Cindy Earle, el Dr. Louis Rossetti, la Dra. Gail Donahue, la Dra. Alice Kahn, Michelle Craig, Judy Ball, Kerry Proctor-Williams, Rhona Wolpert, Mary Moss, Leslie Suite, Patricia Chambers y Karen Ward. Sus comentarios y apoyo realmente marcaron la diferéncia.

- Al Centro Jessie para Adolescentes por permitir que Nancy Dodington invirtiera tiempo en este proyecto.

Por la ayuda económica:

- A los hombres y mujeres que trabajan en la comunidad financiera de la Calle Bay en Toronto que contribuyeron en el Torneo de Golf organizado por dicha comunidad. Su generosa contribución hizo posible el desarrollo e implementación del Proyecto "Caring Connections" (Lazos Afectivos) y de este libro también.

- A Ilana Manolson que apoyó este proyecto al donar su trabajo artístico.

- A los almacenes "Le Chateau" de Canada, que ayudaron a financiar las caricaturas del libro.

Tabla de Contenido

Creo que los niños son nuestro futuro.
Enseñémosles bien y aceptemos que nos muestren el camino,
Descubramos todo lo bello que poseen internamente,
Démosles la oportunidad de sentirsen orgullosos
para hacer más fácilmente el camino,
y Permitamos que sus sonrisas nos hagan recordar cómo eramos
nosotros hace algún tiempo.

Linda Creed

CAPÍTULO UNO

Usted Marca La Diferencia
para que su Hijo pueda Aprender

(Pegue en este espacio una fotografía suya con su hijo/hija)

Usted es la persona que mejor conoce y cuida a su hijo.
Quiere ayudarlo a que crezca y sea lo mejor que él pueda ser.
Es importante recordar que la MANERA como usted logre
"comunicarse" con su pequeño va a afectar:

- lo que él sienta de si mismo.
- sus posibilidades para aprender.

La diferencia se encuentra, en la forma como se "comunique" con su hijo

Cuando usted es el AYUDANTE

Quiere hacer las cosas más fáciles y rápidas para su hijo.

Pero cuando lo ayuda a toda hora, su hijo pierde la oportunidad de aprender.

Cuando usted tiene PRISA

Siempre está tratando de hacer muchas cosas al mismo tiempo.

Pero cuando tiene prisa, no tiene tiempo de hablar con la niña en la forma que ella necesita, para poder aprender.

Cuando usted es LA MAESTRA

Usted es quien siempre está hablando.

Pero el niño aprende mejor, cuando él mismo hace las cosas y no cuando alguien le dice cómo hacerlas.

Cuando usted necesita un DESCANSO

Esta cansada o totalmente agotada y quiere un descanso.

Puede ser que su hijo quiera realmente estar con usted, pero si toma muchos descansos entonces perderá los mejores momentos para compartir y aprender con usted.

El secreto está en la manera como se comunique con su hijo.

Cuando usted es su "COMPAÑERO SENSIBLE"

Hace lo posible por conocer bién a su hijo y comparte con él sus experiencias. El niño se siente feliz y muy especial.

Cuando usted es su "compañero sensible", su hijo siente confianza en sí mismo y está en disposición de aprender.

El padre y la madre que es "COMPAÑERO SENSIBLE" pasa el día al estilo 3a.

La FORMULA 3a significa

aCEPTAR
que su hijo tome
la iniciativa

aDAPTARSE
para compartir
el momento

aGREGAR
lenguaje y
nuevas experiencias

Es difícil poder ser en todo momento "EL COMPAÑERO SENSIBLE".

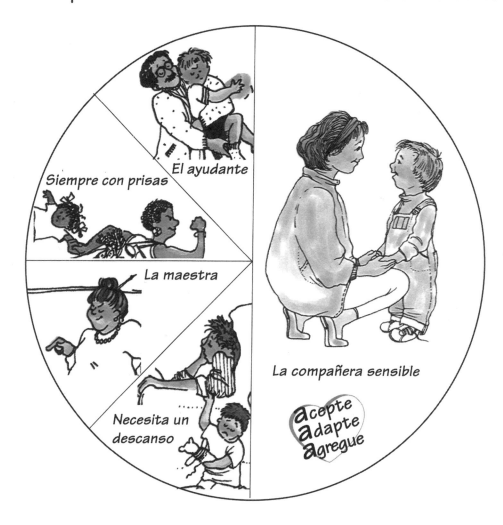

El ayudante

Siempre con prisas

La maestra

Necesita un descanso

La compañera sensible

acepte
adapte
agregue

Sin embargo, mientras más pueda usted ser su "COMPAÑERO SENSIBLE", más feliz se sentirá su hijo y mayores oportunidades tendrá para poder aprender.

Este libro le explicará cómo puede aplicar la fórmula 3a para convertirse en el compañero sensible de su hijo, mientras realiza todo lo que normalmente tiene que hacer durante un dia común y corriente.

acepte que su Hijo Tome la Iniciativa

Cuando usted acepta que su hijo tome la iniciativa:

- Le da al niño la oportunidad de explorar y aprender
- Llega a conocer mejor a su hijo
- Le ayuda a que desarrolle seguridad en sí mismo

aceptar que su hijo tome la iniciativa *acepte adapte agregue* significa parar un momento para poder...

Observar ... *los intereses y sentimientos de su hijo*

Esperar ... *y ver lo que él va a hacer*

Escuchar ... *al niño y tratar de entender lo que le está queriendo decir*

Estas tres palabras - Observe, Espere y Escuche debe siempre ponerlas en práctica; por eso vale la pena parar un momento y reflexionar ...

Es de sabios... Observar, Esperar y Escuchar

Observe

FIJESE qué trata
de mirar la niña ...

MIRE la expresión
de la cara del niño...

OBSERVE el lenguaje
corporal de su hijo.

Algunas veces es difícil saber con certeza que estará
pensando el niño, pero si lo OBSERVA detalladamente podrá
descubrirlo. La observación es el primer y más importante
paso en el proceso de conocer a su hijo.

OEEspere

Cuando usted ESPERA, le da al niño la oportunidad
de hacer las cosas por sí mismo.

A veces nos cuesta mucho ESPERAR y a lo mejor tendremos que
contar hasta diez - tal vez después de hacerlo el niño diga o haga algo
que nos pueda sorprender.

O E Escuche

Tu aprietas el botón y te sale el chicle y ...

Cuando usted ESCUCHA, podrá oir lo que el niño quiere decirle.

La única manera de saber lo que el niño está pensando es si lo ESCUCHA. No puede escucharlo si usted está hablando.

Qué debe OBSERVAR, ESPERAR y ESCUCHAR a medida que su hijo progresa

¡Mira la mariposa!

Al principio,
usted tratará de adivinar lo que la niña quiere, necesita o no le gusta cuando ella:

- sonría, haga sonidos, llore de una manera especial
- parezca estar incómoda o asustada
- mire algo o se de la vuelta

Luego,
cuando ella crezca un poco, será más fácil dejar que ella tome la iniciativa ya que:

- comenzará a querer explorar su entorno y le mostrará que es lo que ella quiere
- se sonreirá cuando usted imite sus sonidos y ella tratará de imitar los suyos
- comprenderá algunas palabras como "mami", "papi" y "tete"

¡Mira Lina! una mariposa

Ooa...

Después,
su hijo le hará saber lo que él quiere cuando:

- trate de imitar los sonidos
  y gestos que usted hace
- tome turnos cuando estén
  jugando juegos sencillos
  como !veo, veo!
- Se agarre a usted, señale,
  haga sonidos y se de la vuelta
  a mirarla para confirmar que
  usted lo está mirando
- haga sonidos que usted
  comience a reconocer como palabras

Y aún más tarde,
Será más fácil saber en que está ella
interesada ya que:

- podrá usar algunas palabras y
  frases cortas (aunque todavía
  sean difíciles de comprender)
- explorará y tratará nuevas cosas
- podrá hacer algunas preguntas
  sencillas

¡Por último, su hijo comenzará a hablar, y no habrá quien lo pare!

Cuando usted OBSERVE, ESPERE, ESCUCHE, y acepte
que ella tome la iniciativa, lo sorprenderá con todo lo
que ella ya puede hacer y decir.

¡TODO EN UN SOLO DIA!

Acepte que su hijo tome la iniciativa y sígalo en todas las situaciones de la vida diaria:

En lugar de mandar...

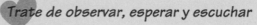 *Trate de observar, esperar y escuchar*

En lugar de imponer...

Trate de reconocer

En lugar de dominar . . .

Trate de ser sensible

En lugar de asumir que usted sabe . . . Trate de dejar que la niña decida

Lo tomé de la Mano y lo Seguí

Hoy no lavé los platos
Ni tendí mi cama
Lo tomé de la mano y lo seguí
por donde sus pasos ansiosos me guiaban.

¡Oh sí! nos fuimos a la aventura
Mi hijo y yo
explorando el campo raso
bajo el sol y el cielo.

Vimos un petirrojo alimentando a su cría.
Trepamos una colina bañada por el sol.
Vimos retozar borregos de nubes
y cortamos un girasol.

Que mi casa no estaba aseada,
que no barrí la escalera,
En veinte años no encontraría
en la Tierra quien lo supiera.

Pero que estoy ayudando a mi hijito
a que en un ilustre adulto se convierta
en veinte años tal vez el mundo entero
lo perciba, lo vea y lo sepa.

                    Anónimo

adáptese para Compartir el Momento

Cuando usted se adapta para "Compartir el Momento":

- Le hace saber al niño que usted se interesa por él
- El niño presta más atención a lo que usted hace y dice
- Se siente más cerca de su hijo y él de usted
- Disfrutan mucho más estando juntos

Cómo Compartir el Momento

acepte
adapte
agregue

Usted ayuda al niño a que "Comparta el Momento" cuando...

Juegue cara a cara

Imite

¡se rompió!

Interprete

¡te mojaste!

Comente

Los niños también quieren su turno

Tome turnos

¿Qué vestido se va a poner la muñeca?

Haga buenas preguntas

Cambie de posición para que la niña pueda mirarla
directamente a los ojos.

Cuando se encuentra cara a cara con ella:
- Aprende más acerca de la niña
- La niña aprende más acerca de usted
- Se unen y comparten el momento

Cómo compartir el Momento

Imite - Copie los movimientos y sonidos que hace su hijo

Haga exactamente lo que el niño hace.
Diga lo que el niño dice.

Cuando usted imita los movimientos y sonidos de su hijo:

- Usted fácilmente se une con su hijo
- Su hijo sabe que usted se interesa por lo que él hace y dice
- Su hijo puede comenzar a imitarla

Interprete - Dígalo como ella lo diría si pudiera

¡AY!...

¡Si, un hueco! ¡tienes un hueco grande!

Dígalo en palabras que expliquen lo que está pasando.

Cuando usted interpreta:
- usted le hace saber a la niña, que está tratando de entender lo que ella quiere decir
- le va dando palabras, para que poco a poco, pueda aprender a hablar

Cómo Compartir el Momento

Comente - hable sobre
lo que está sucediendo

¡Un simple comentario puede ser mágico para iniciar
una conversación!

Cuando usted comenta:
- le hace saber al niño que usted está interesada
- le puede decir cosas nuevas e interesantes
- puede iniciar una conversación fácil y delicadamente

Haga preguntas que su hija
comprenda y quiera contestar.
Luego dele tiempo para que responda.

Cuando hace preguntas que ayudan a mantener la conversación:
- usted motiva a la niña a pensar
- la niña sabe que usted está prestándole atención

Cómo Compartir el Momento

¡Los niños también quieren su turno!

¡Como en un subibaja; el diálogo sólo es bueno,
cuando cada participante espera su turno!

Cuando usted se turna con su hija.
- ella tiene la oportunidad de expresarse — aunque sea tan sólo
  a través de una mirada, un gesto o una sonrisa.
- mientras más oportunidades tenga de tomar su turno,
  más oportunidades tendrá de aprender.

¡TODO EN UN SOLO DIA!

Se puede Compartir el Momento en las Situaciones de la Vida Diaria

En lugar de hablarle a la pared . . . 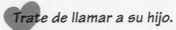 *Trate de llamar a su hijo.*

En lugar de dar siempre órdenes . . . 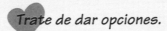 *Trate de dar opciones.*

¡TODO EN UN SOLO DIA!

En lugar de regañar . . . 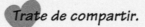 **Trate de compartir.**

En lugar de interrogar . . . 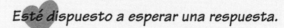 **Esté dispuesto a esperar una respuesta.**

agregue Lenguaje y Nuevas Experiencias

¡caliente!

Primero vienen las experiencias, luego la comprensión y, por último, el lenguaje.

Cuando usted agrega Lenguaje y Nuevas Experiencias:

- Ayuda al niño para que aprenda del mundo que lo rodea
- Le da al niño las palabras que luego dirá cuando esté listo para hacerlo

Cómo se **a**grega Lenguaje y Nuevas Experiencias

El niño se sentirá muchas veces confundido. Lo puede ayudar cuando usted . . .

Use gestos

La llame por su nombre

Imite y agregue una palabra o acción

Haga resaltar aquellas palabras importantes

Repita, repita y repita

Agregue una nueva idea

Use Gestos

Trate de usar gestos con su cuerpo para mostrarle al niño
lo que sus palabras están diciendo.

Cuando usted utiliza gestos y palabras al mismo tiempo:
- hace que el mensaje sea más claro
- gana el interés del niño
- le muestra al niño una forma de expresarse,
  aunque todavía no tenga las palabras para hacerlo.

Cómo **a**gregar Lenguaje y Nuevas Experiencias

Poco a Poco Dele las Palabras que él Necesita

Dele nombre a las cosas que usted haga y vea.

Usted ayuda al niño a comprender y a aprender cuando le da una palabra a:
- las cosas que le interesan
- lo que usted está haciendo
- lo que acabá de suceder o va a suceder

Imite y Agregue una Palabra o Acción

Imite lo que su hija hace o dice y luego agregue
una nueva palabra o acción.

Cuando usted imita y agrega una nueva palabra o acción:
- usted construye sobre lo que su hija ya sabe
- le da nueva información que ella pueda comprender
- le da una nueva palabra que puede usar cuando ya esté preparada para hacerlo

Cómo **a**gregar Lenguaje y Nuevas Experiencias

¡Ah! se CAYO.
La cuchara se CAYO.

Ooo.

Enfatice las palabras importantes.

Cuando usted hace resaltar las palabras que interesan:
- es más fácil que su hijo las escuche y recuerde
- hace que nuevas palabras sean más interesantes

Repita, Repita y Repita

Haga lo posible por buscar diferentes maneras de usar las mismas acciones y palabras

Tal vez tendrá que decirlo diez o hasta cien veces.
Pero cuando usted repite:
- Ayuda a que el niño comprenda y recuerde nuevas palabras
- Su hijo podrá usar nuevas palabras cuando esté listo para hacerlo

Cómo **a**gregar Lenguaje y Nuevas Experiencias

Agregue una Nueva Idea

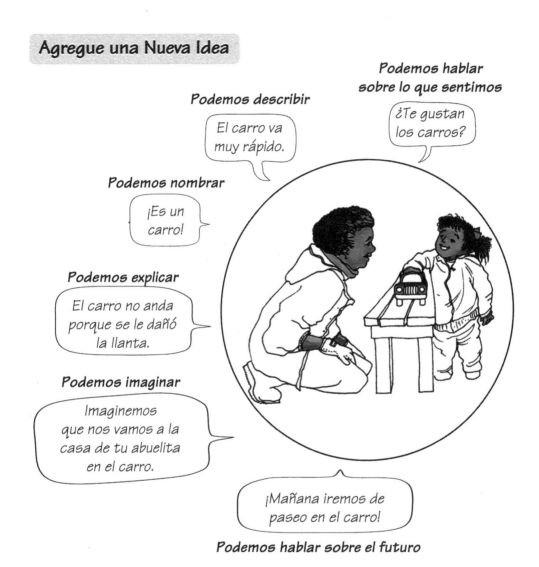

Podemos hablar sobre lo que sentimos

¿Te gustan los carros?

Podemos describir

El carro va muy rápido.

Podemos nombrar

¡Es un carro!

Podemos explicar

El carro no anda porque se le dañó la llanta.

Podemos imaginar

Imaginemos que nos vamos a la casa de tu abuelita en el carro.

¡Mañana iremos de paseo en el carro!

Podemos hablar sobre el futuro

Cuando usted agrega una nueva idea, puede:
- construir en base a acciones y palabras que la niña ya sabe
- le ayuda a comprender mejor el mundo que lo rodea
- le brinda una nueva forma de pensar y de hablar

En el círculo a continuación, dibuje una actividad que su hija disfrute. A los lados, escriba las palabras que podría añadir para ayudarla a aprender más sobre la actividad. (Tenga en cuenta lo que es capáz de entender ella.)

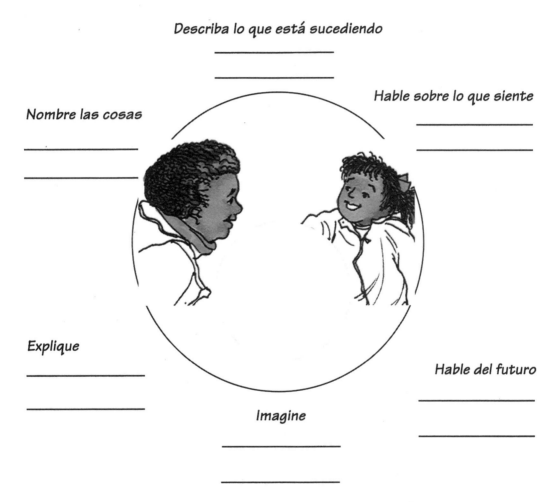

Describa lo que está sucediendo
_____
_____

Hable sobre lo que siente
_____
_____

Nombre las cosas
_____
_____

Explique
_____
_____

Imagine
_____
_____

Hable del futuro
_____
_____

Ya que usted y su hija son muy especiales, tomará un poco de tiempo descubrir las expresiones y maneras de expresarse con las que se sientan cómodas. No trate simplemente de leer todo el libro. Siga intentando poner en práctica nuevas ideas. ¡Su hija le hará saber cuando haya descubierto la que más le guste!

¡TODO EN UN SOLO DIA!

Se pueden agregar nuevas experiencias y lenguaje en las situaciones de la vida diaria

En lugar de decir "Esto" o "Eso" . . . Trate de darle la palabra para que lo aprende

En lugar de perder una buena oportunidad. . . *Trate de ser creativo.*

**En lugar de estar
siempre interrogando. . .**

Trate de decir algo interesante.

En lugar de corregir y corregir . . .

Trate de nombrar y describir.

RECUERDE...

El "Compañero Sensible" trata siempre de utilizar la fórmula 3**a**

acepte
adapte
agregue

Tomando el tiempo en observar, esperar y escuchar, sé de qué puedo y debo hablar.

acepte que su Hijo tome la Iniciativa

Cuando nos turnamos, la pasamos bien y nos sentimos más unidos.

adáptese para Compartir el Momento

¡En cualquier parte, puedo enseñarle a mi hijo!

agregue Lenguaje y Nuevas Experiencias

Juguemos al ESTILO 3a

Cuando usted logra ser el "Compañero Sensible" de la niña, usted puede jugar con ella al ESTILO 3a, y la niña podrá tener la oportunidad de aprender todo un nuevo mundo a través del juego.

¡La Diferencia está en cómo quiera usted jugar!

Cuando usted hace de ANIMADOR

usted monta todo un "show" y el niño simplemente se limita a mirarla.

Pero, si el niño no tiene su turno, no tendrá oportunidad de aprender.

... y entonces el rey dijo ...

¡Juliana, Mira ese cubo! ¡ponlo encima! ¡ahora toma el rojo!

Cuando usted hace de DIRECTOR

le muestra y dice a su hija cómo jugar y qué hacer.

Pero si lo que busca es controlarla, su compañera de juego terminará por abandonarla.

Cuando usted hace de REPORTERA

usted solamente habla sobre lo que está sucediendo en vez de involucrarse con él en el juego.

Pero si lo único que hace es hablar, su hijo puede optar por alejarse.

Estas gateando debajo de la mesa.

Cuando usted hace de OBSERVADOR

usted observa como juega la niña pero no decide participar.

Pero si no quiere estar realmente ahí le será imposible compartir.

¡La Diferencia está en cómo quiera usted jugar!

Cuando usted es la "Compañera Sensible" de su hija, jugará al ESTILO 3a...

Usted adapta el juego para poder disfrutar más

Usted agrega nuevas ideas en el juego

Su hija aprende mucho más

Usted acepta que su hija escoja lo que quiere jugar

Su hija aprende a esperar su turno

llega a conocer mejor a su hija

Su hija se siente importante

acepte adapte agregue

Jugando al Estilo 3a, ambas podrán disfrutar mucho más.

Su hijo puede jugar con mucho más de lo que usted encuentra en un almacén de juguetes. . .

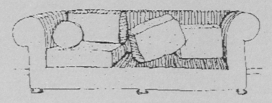

¡Es increíble ver como un sofá puede convertirse en tantas cosas!

Cama

Torre

Puente

Tunel

**Cuando usted se sintoniza al ESTILO 3a,
el mundo entero puede ofrecerle todo tipo de juegos.**

La segunda parte de este libro, le enseñará como jugar al ESTILO 3a cuando usted . . .

Siga adelante con el juego

Aproveche al máximo la música

Disfrute con los libros

Se dedique a crear y crear

CAPÍTULO CINCO

Siga Adelante con el Juego

Los niños también quieren su turno

Cuando usted juega con su hija al ESTILO 3a, usted le ayuda a que:

- aprenda acciones y sonidos – mucho antes de que pueda hablar
- aprenda a tomar turnos y oportunidades
- descubra y disfrute de la imaginación
- se lleve bien con otros niños y adultos

Jugando al ESTILO 3a

aceptar que su hijo tome la iniciativa en el juego significa . . . tomar el tiempo necesario para OBSERVAR, ESPERAR y ESCUCHAR

Observando

a su hijo sabrá si está interesado o no.

Si él mira hacia otro lado, indica con un gesto que no quiere, o se distrae con algo, entonces intente algo diferente.

Esperando

le dará al niño la oportunidad de participar a su manera.

Escuchando

detalladamente a su hijo lo hará sentir de una manera especial.

aceptar que su hijo tome la iniciativa significa . . . pensar como un niño . . . ¡SU niño!

USTED se convierte en el juego favorito de la casa cuando . . .

acepte
adapte
agregue

Jugando al ESTILO 3a

adaptarse para Compartir el Momento durante el Juego significa . . .

> La mano de la mamá.
> La mano del bebé.

Jugar cara a cara

> Arepitas de maiz

Imitar

Ayude a su hijo a copiar lo que usted hace

> ¡Oooo! ¡Se va a caer!

Interpretar

Diga lo que la niña diría si pudiera hacerlo, y después trate de . . .

> Oooo

Esperar

para que ella tome su turno

Reconozca cómo toma turnos su hijo

Al principio,
el turno de su hijo será una sonrisa, un movimiento, o simplemente mirarla en juegos como "te voy a agarrar" y "¡Veo, veo!".

Luego,
su hija le hará saber claramente que quiere seguir jugando.

Aún más adelante,
y después de muchas y muchas repeticiones, su hijo va a iniciar el juego y va a querer que usted se una y juegue con él.

Y, por último,
su hijo sabrá jugar todo el juego.

Jugando al ESTILO 3a

agregar lenguaje y nuevas experiencias en el juego significa . . .

Usar gestos y resaltar las palabras importantes.

Imitar y agregar una palabra o acción

Repetir, repetir y repetir

Construya sobre lo que su hijo ya sabe

Algunas ideas para poder JUGAR

Ollas y sartenes

Canciones infantíles

Juegos con pelotas

Juegos con cubos

Juegos de fichas

Disfraces

Al escondite

CAPÍTULO SEIS

Aproveche al Máximo la Música

La música tiene el poder de calmar, relajar y entretener.

Cuando se comparte la musica al ESTILO 3a usted hace que el niño:

- Escuche – el ritmo de la música atrae su atención
- Aprenda nuevas palabras y acciones
- Descubra lo divertido que es cantar y bailar

Aproveche al máximo la música al ESTILO 3a

aceptar que su hijo tome la iniciativa en la música significa . . . tomar el tiempo necesario para OBSERVAR, ESPERAR y ESCUCHAR

Al principio,
el niño se moverá al son de la música. Cuando usted pare de cantar y espere, él le hará saber que quiere más tratando de saltar y de tambalearse.

Luego,
después de haber cantado una de sus canciones favoritas muchas veces, su hijo tratará de imitar sus gestos y movimientos.

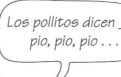

Los pollitos dicen
pio, pio, pio . . .

Después,
cuando usted haga una pausa durante la canción, su hijo tratará de completarla, realizando gestos y completando palabras.

Pim, pon es un . . .

¡MUÑECO!

. . . de pasta y de cartón

Me lavo la ca-ita con agua y con ja-bón . . .

Finalmente,
su hijo solito cantará toda la canción. ¡BRAVO!

Acepte que su hijo cante la canción a su manera.

acepte
adapte
agregue

Aproveche al máximo la música al ESTILO 3**a**

adaptar para compartir la música significa . . .

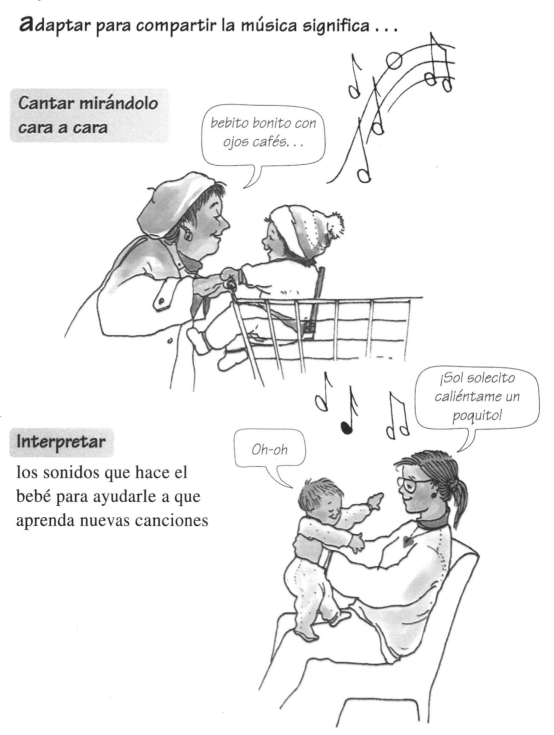

Cantar mirándolo cara a cara

bebito bonito con ojos cafés. . .

Interpretar

los sonidos que hace el bebé para ayudarle a que aprenda nuevas canciones

Oh-oh

¡Sol solecito caliéntame un poquito!

Hacer una Pausa

y darle al niño su turno

Cantar más despacio

para que el niño pueda escuchar claramente cada palabra.

Aproveche al máximo la música al ESTILO 3a

agregar lenguaje y nuevas experiencias en la música significa . . .

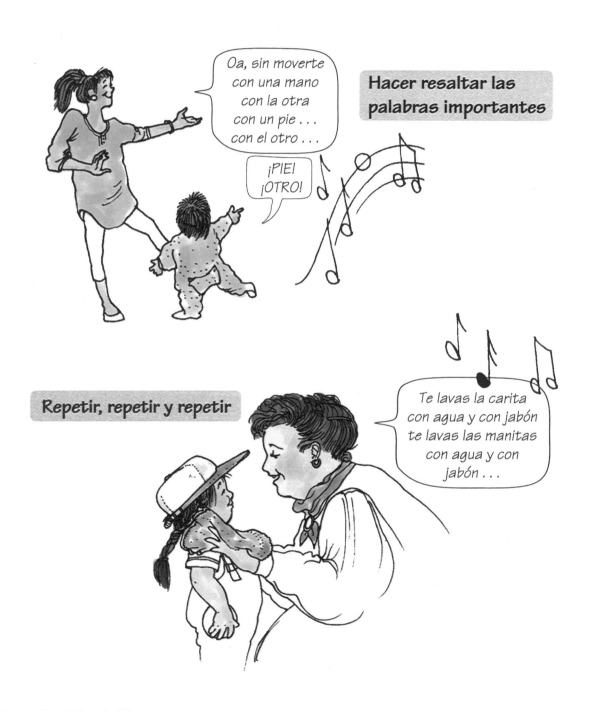

Usar gestos y movimientos

Hacer que las canciones sean parte de la rutina diaria

Sugerencias Musicales

Arepitas de maiz

Canciones infantiles

. . . Con una mano con la otra, con un pie . . .

Baile

. . . Nenita bonita, con ojos cafés . . .

Invente sus propias canciones

Deje que el niño complete las estrofas

Los pollitos dicen. . .

...pio,pio,pio...

CAPÍTULO SIETE

Leamos Juntos

Cuando se comparten los libros al ESTILO 3a, su hija:

- aprende a prestar atención
- descubre cosas acerca del mundo
- se prepara para su futuro aprendizaje escolar

El libro adecuado para el momento apropiado . . .

Los niños disfrutarán y aprenderán de los libros de diferentes maneras y a diferentes edades

Al principio,
su hijo cree que los libros saben más rico de lo que se ven.

Los libros hechos en tela o plastificados no le harán daño.

Luego,
a su hijo le gustarán aquellos libros que pueda "tocar", "oler" o con los que pueda "construir algo."

Más adelante,
su hija querrá ver y
nombrar aquellas
cosas que
ya conoce.

Pato . . .

Aún más adelante,
su hija irá a buscar su libro
favorito para traérselo.

La lectura al ESTILO 3**a**

acepte que su hijo tome la iniciativa en la lectura y dese el tiempo necesario para . . .

Observar

lo que su hija hace con un libro.

Esperar

a que su hijo termine de mirar una página que le llame mucho la atención.

Cuando él ya sepa el cuento, espere y permita que se lo vaya contando.

Escuchar

cuidadosamente los sonidos y palabras que el niño comience a hacer . . .

Guau-guau

. . . ¡Y después sígalo!

No importa hablar solamente sobre los dibujos.

No importa cambiar las palabras.

No importa incluir el nombre del niño en el cuento.

No importa tampoco, leer la última página primero,

— o cualquier página que le llame la atención al niño.

Y por su puesto, NO importa leer el libro favorito una y otra vez.

Recuerde . . .   acepte adapte agregue

La lectura al ESTILO 3a

adaptarse para compartir la lectura significa . . .

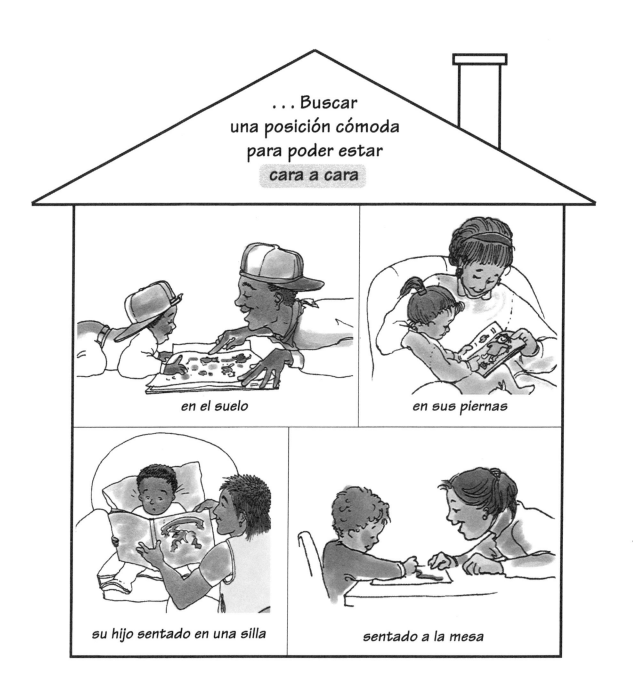

. . . Buscar
una posición cómoda
para poder estar
cara a cara

en el suelo

en sus piernas

su hijo sentado en una silla

sentado a la mesa

Tomar Turnos

con su hija.

Imitar e Interpretar

los sonidos y movimientos
que haga su hija.

La lectura al ESTILO 3a

agregar lenguaje y nuevas experiencias durante la lectura significa . . .

Imitar y agregar una palabra o gesto

Hacer que las palabras se conviertan en realidad

Repetir, repetir y repetir

El TELEFONO. Hablamos con Nana por TELEFONO. ¡Es divertido hablar por TELEFONO!

Agregar una nueva idea

¿Quieres llamar a papi por TELEFONO?

La lectura hace que ambas compartan un rato agradable mirando y hablando de muchas cosas interesantes.

Los libros hechos en casa y los cuentos inventados deleitan a su hijo y le ayudan a aprender muchas cosas

Haga sus propios libros . . .

Un libro con dibujos o láminas

de cosas que le gusten a su hijo, ¡como un camión de bomberos, caras o ranas!

Es divertido hacer su propio libro. Las revistas y catálogos están llenos de láminas que usted puede utilizar.

Un álbum de fotografías

de los días y fechas especiales de su hijo, familia y amigos.

A su hijo le encantará siempre su álbum de fotografías.

Un libro de sorpresas o animado

con páginas que tenga que levantar o un espacio que abrir para descubrir cosas que pueda oler y tocar.

A su hijo le fascinará hacer toda esta magia . . .

. . . ¡Y yo estaba TAN FELIZ de verte otra vez! . . .

Invénte sus propios cuentos

¡Estos serán los que ella más querrá escuchar! ¡Especialmente si se tratan de ella y de usted!

¡Será un cuento especial cuando se trate de algo real!

Los libros

Libros que sean de su propiedad

Un libro favorito será siempre algo para mirar, leer y disfrutar.

A su hija le encantará tener su propia colección de libros.

¿Dónde puede encontrar libros?

- en las bibliotecas públicas
- en ventas de garage
- en almacenes que vendan libros usados
- a través de amigos

CAPÍTULO OCHO

¡Vamos a Crear y Crear - No lo Piense Más!

Usted puede aprender tanto acerca de su hija y ella de usted, cuando:

- acepte que su hija pueda crear algo por sí misma
- adapte la actividad para que ambas puedan participar
- agregue información que le facilite nuevos aprendizajes

Para asegurar el éxito tendrá que . . .

- Escoger materiales que su hijo pueda utilizar fácilmente

- Estar segura de que habrá suficiente para todos

- Dejar que su hijo le ayude a alistar los materiales

- Limitar el número de niños a dos o tres

- Alistar lo necesario para hacer la limpieza

- Tener su propio sitio y sus propios materiales

Creando juntos al ESTILO 3a

acepte que su hijo pueda crear "arte" a su manera

Al principio,
el niño estará más interesado en "ensuciarse" que en hacer un dibujo real.

¡Recuerde que la "ensuciada" se podrá lavar pero la experiencia perdurará!

Luego,
a su hijo le encantará hacer garabatos en el papel y jugar con plastilina.

¡Mi conejo lindo!

Más adelante,
cuando ya la niña haya adquirido mayor control muscular, comenzará a dibujar cosas de manera muy simple y le gustará hablarle sobre ellas.

¡Mira mami! ¡Aquí estamos tu y yo en la fiesta!

Aún más adelante,
le encantará crear su propias piezas de "arte" y gozará compartiéndolas con usted.

Creando juntos al ESTILO 3a

adaptarse para compartir la creatividad significa . . .

Colocarse cara a cara

y hacer comentarios que demuestren que usted está interesada

¡No por favor!...¡tu serpiente me va a picar!

Tomar turnos

- debe tener sus propios materiales
- trate de hacer que la conversación continúe

¡Que lindo! ¿Dime qué estás pintando?

agregar lenguaje y nuevas experiencias . . .

. . . mientras están creando juntos

. . . cuando están compartiendo la limpieza

. . . y cuando la obra de "arte" se expone.

Ideas para Crear

Por ejemplo . . .

Plastilina hecha en casa

Esta es una receta excelente para preparar plastilina casera:

- una taza de harina de maiz
- dos tazas de bicarbonato de sodio
- una taza y media de agua fria

Mezcle la harina de maiz y el bicarbonato de sodio en una olla grande. Añada el agua y cocine la mezcla a fuego mediano. Revuelva hasta que la mezcla adquiera la apariencia de puré de papa; luego ponga la mezcla sobre un plato y cúbrala con un trapo húmedo. Cuando se enfríe, amásela (como si fuera pan) hasta lograr la consistencia deseada. Guarde la plastilina en un recipiente hermético.

Consejos prácticos . . .

- Use pequeñas cantidades y almacene el resto en bolsas plásticas o en un recipiente para evitar que se seque
- Para evitar que la plastilina se pegue en la mesa, utilice un pedazo de papel parafinado y riegue harina de maiz o de trigo en el rodillo, el cuchillo y los moldes de figuras que utilice.
- Cuando una dos piezas de plastilina, humedezca los puntos de unión y júntelos presionando un poco. Luego use goma blanca para pegar los pedazos secos.
- Para obtener masas de colores, utilice colorantes de alimentos en el agua antes de hacer la mezcla.

En diferentes situaciones puede agregar

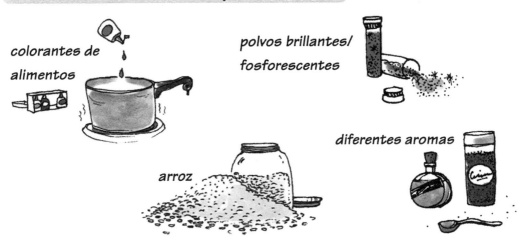

colorantes de
alimentos

polvos brillantes/
fosforescentes

diferentes aromas

arroz

En diferentes situaciones puede sacar

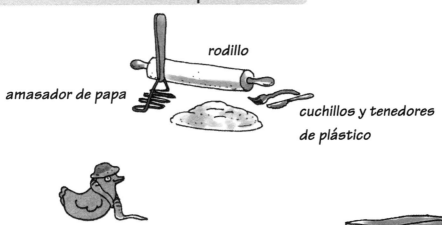

rodillo

amasador de papa

cuchillos y tenedores
de plástico

animalitos de plástico
(decorados con plastilina)

cajas para hacer casitas

¡Otras Sugerencias con mucha Creatividad!

Pintura con los dedos

Crayolas y Marcadores

Creatividad con una Caja de Cartón

Plastilina

Figuras para pegar y otras texturas

Sellos de papa

Collares hechos con Macarrones

CAPÍTULO NUEVE

¡Comunicarse Con Ellos No Es Siempre Fácil!

Pero Sin Duda, Vale la Pena

En lugar de desesperarse . . . 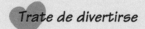 *Trate de divertirse*

Cuando usted hace el esfuerzo por comunicarse al ESTILO 3a, su hijo podrá:

- escucharla puesto que usted lo hace también
- sentir que es parte de la familia - en vez de sentirse solo
- aprender a confiar en lugar de desconfiar
- aprender a llevarse bien con otras personas

Todo en un Solo Dia

Y aunque su hijo se la pase llorando y exigiendo,
usted aún puede lograr la comunicación . . .

En lugar de amargarse . . .   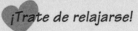 *¡Trate de relajarse!*

En lugar de decir "No" . . .   *Trate de llevarle la idea.*

Algunas veces hay que decir "no", pero . . .

En lugar de decir "no, no, no" . . .

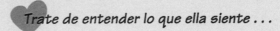 Trate de entender lo que ella siente . . .

Y luego traten de imaginarse . . .

o ¿porque no? ofrézcale algo más.

Todo en un Solo Dia

Y aunque su hija sea callada y tímida,
la comunicación también puede lograrse . . .

En lugar de ser la "animadora" . . .

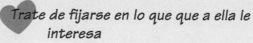

Trate de fijarse en lo que que a ella le interesa

En lugar de darse por vencida . . .

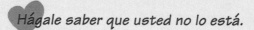

Hágale saber que usted no lo está.

Algunos niños necesitarán más tiempo para sentirse cómodos

En lugar de exigir . . .

Trate de aceptar aquellos momentos de silencio . . .

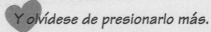

Trate de compartir sentimientos . . .   *Y olvídese de presionarlo más.*

Todo en un Solo Dia

Y a pesar de que su hijo siempre quiera hacer su voluntad,
aún así se puede comunicar . . .

En lugar de enloquecerse . . .   *Trate de divertirse.*

En lugar de sentirse abandonado . . .   *Trate de integrarse*

No siempre puede estar ahí cerca, sin embargo . . .

**En lugar de exigir y exigir
y sentirse herida . . .**

**Trate de no darle importancia
y evite la discusión.**

En lugar de darse por vencido . . .

Trate de ingeniarse algo novedoso.

Todo en un Solo Dia

Cuando su hijo no está contento - no siempre podrá hacerlo sentir mejor inmediatamente, pero aún así, podrá comunicarse . . .

En lugar de ignorar lo que ella siente . . .  *Trate de expresar lo que ella siente.*

En lugar de malgeniarse . . . *Simplemente reconozca que algunos niños se molestan más que otros.*

Y por lo general durante el transcurso de la vida . . .

En lugar de insistir . . .

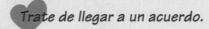
Trate de llegar a un acuerdo.

En lugar de ser el "dictador" . . .

Trate de negociar una solución.

En Conclusión

USTED es quien realmente HACE LA DIFERENCIA

Comunicarse con su hijo no será siempre fácil, pero haciéndolo al ESTILO 3a, siempre valdrá la pena.

Sea paciente. No siempre su hijo querrá aprender lo que usted quiera que él aprenda. Algunas veces tomará una semana, un mes o a lo mejor un año. Mientras eso ocurra y mientras sea usted su compañero sensible, su hijo sabrá que usted lo quiere y se preocupa por él. Esto es sin duda lo más importante que un niño debe saber.